Franklin

fait du vélo

Paulette Bourgeois • Brenda Clark

est une marque de Kids Can Press Ltd.

Publié pour la première fois en 1997 par Kids Can Press Ltd., Toronto, Ontario,
Canada, sous le titre *Franklin rides a bike*.

© 1997, Contextx Inc. pour le texte.

© 2000, Brenda Clark Illustrator Inc. pour les illustrations.

Les illustrations intérieures ont été réalisées avec l'aide de Shelley Southern.

© 2003, Hachette Livre / Deux Coqs d'Or pour l'édition française.

© 2010, Hachette Livre / Deux Coqs d'Or pour la présente édition.

ISBN : 978-2-01-393237-0

Dépôt légal : Avril 2011 – Édition 02 – Imprimé en France par Jean-Lamour - Groupe Qualibris

Franklin

fait du vélo

Paulette Bourgeois ● Brenda Clark

Adaptation française de Cécile Beaucourt

DEUX
COQS
D'OR

Franklin sait nager sous l'eau et faire de la balançoire
tout seul en montant très haut. Il arrive à envoyer la balle
à l'autre bout du pré avec sa batte de base-ball. Il sait même
se suspendre à la grande échelle du portique.

Mais Franklin a un problème. Il ne sait pas faire de vélo
sans petites roues à l'arrière.

Au début, tous les amis de Franklin avaient des petites roues sur leurs vélos.

Lili le castor a enlevé les siennes la première.

Lorsqu'elle est arrivée dans le parc en criant : « Regardez, je fais du vélo comme une grande ! » Franklin a écarquillé les yeux, admiratif.

Quelques jours plus tard, Lili réussit déjà à faire signe avec une de ses pattes tout en tenant le guidon de l'autre, et sans s'arrêter de rouler !

Très vite, tous les amis de Franklin savent faire du vélo sans petites roues. Tous… mais pas Franklin.

Un midi, Martin l'ourson lui dit :

« On va faire un pique-nique, viens avec nous ! »

Mais comme Franklin a très peur que ses amis se moquent de ses petites roues, il invente un mensonge :

« Je n'ai pas faim. »

Et il rentre déjeuner chez lui, tout seul.

Après cette histoire, Franklin demande à sa maman d'enlever ses petites roues. Il veut faire du vélo comme un grand, lui aussi.

Il s'assoit sur la selle et sa maman le pousse doucement pour lui donner de l'élan.

Mais Franklin tourne le guidon à droite, tourne le guidon à gauche, tremble, vacille, puis tombe dans un parterre de fleurs.

« Je n'y arrive pas, dit-il. Je ne remonterai plus jamais sur ce vélo ! »

Et pendant toute la semaine, Franklin laisse son vélo
au garage et regarde tristement ses amis partir
en promenade sans lui. Ils sont devenus
de vrais aventuriers sur leurs petits vélos.

Le samedi suivant, les amis de Franklin passent comme des bolides devant sa maison.

« Ils ont l'air de bien s'amuser! s'écrie la maman de Franklin.

– Oui, mais moi je ne sais pas faire de vélo sans petites roues, pleurniche-t-il.

– Il n'y a pas de raisons que tu n'y arrives pas, répond sa maman.

– Hmm, grogne Franklin, peut-être que je devrais réessayer... »

Franklin a décidé d'être courageux. Il monte sur son vélo.

Mais il se met aussitôt à crier :

« Je vais tomber !

– Essaie ! Je ne te lâcherai que quand tu me le demanderas »,
lui dit sa maman en le tenant par la selle.

Franklin pédale pendant que sa maman le guide à l'arrière.
Il a très peur.

« Je suis sûr que je vais me casser la figure ! »
dit-il en arrêtant de pédaler.

« Tu peux y arriver, insiste sa maman.

– C'est trop difficile pour moi, dit Franklin. Et pourtant, mes amis peuvent le faire !

– Au début, c'est dur pour tout le monde », ajoute sa maman.

Franklin est vexé et très triste.

Il décide d'aller faire un tour au parc.

Lili s'entraîne à se suspendre à l'échelle du portique,
mais à chaque fois qu'elle atteint le troisième barreau… boum !
elle tombe dans le sable.

« Mais non, Lili, dit Martin, fais comme moi, c'est facile !

– Parle pour toi ! » répond Lili.

Elle remonte encore une fois, et encore une fois
elle tombe par terre.

« Je réessaierai demain », grogne-t-elle.

Franklin se rappelle que lorsque Odile le blaireau
apprenait à nager, elle avait peur de mettre la tête sous l'eau.
« C'est facile, disait Franklin. Fais comme moi ! »
Odile avait même pleuré. Mais maintenant,
Odile sait traverser l'étang en nageant le crawl.

Franklin pense ensuite à la première fois où Raffin
le renardeau a joué au base-ball. Il n'arrivait jamais
à frapper la balle.

Mais, à force d'essayer, un jour, Raffin a envoyé la balle
si loin qu'on ne l'a jamais retrouvée.

Juste à ce moment, Émilie le porc-épic entre dans le parc. Elle s'approche très lentement en montrant les protections qu'elle porte aux genoux, aux poignets et aux coudes.

« J'ai l'air d'un clown avec ça, dit-elle, mais au moins, je ne risque pas de me faire mal.

– Merci du tuyau, Émilie! » crie Franklin en s'élançant vers sa maison.

Avec les moyens du bord, il se bricole rapidement
des protections semblables à celles d'Émilie, puis il délimite
la piste avec de vieux coussins pour ne pas se faire mal
en tombant.

« Je veux réessayer, dit-il ensuite à sa maman. Maintenant,
je n'ai plus peur de tomber. »

Il monte sur son vélo pendant que sa maman le tient
par la selle. Franklin tourne le guidon à droite,
tourne le guidon à gauche, tremble, vacille…
Il tombe plusieurs fois mais il remonte toujours sur son vélo.

Finalement, Franklin demande à sa maman de le lâcher.

Le vélo ne s'en va pas dans les buissons.

Franklin ne tombe pas.

« Vas-y, champion ! » l'encourage sa maman.

Franklin en tremble d'émotion : il fait du vélo comme un grand !

« J'y arrive », se répète-t-il en roulant vers le parc.

« Regardez-moi ! » crie-t-il à ses amis.

Franklin essaie de leur faire signe avec sa main
comme Lili sait si bien le faire mais… il se retrouve par terre.
Ses amis l'aident à se relever.

« J'ai encore un peu de travail de ce côté-là »,
dit Franklin en riant.